Les enfants et la science

Couleurs

Le violet

Jared Siemens

Weigl

Publié par Weigl Educational Publishers Limited
6325 10th Street SE
Calgary, Alberta T2H 2Z9
Site web : www.weigl.ca

Catalogage avant publication de Bibliothèque et Archives Canada

Siemens, Jared
[Purple. Français]
Le violet / Jared Siemens.

(Les enfants et la science. Couleurs)
Traduction de : Purple.
Publié en formats imprimé(s) et électronique(s).
ISBN 978-1-4872-0096-1 (relié).--ISBN 978-1-4872-0097-8 (livre électronique multiutilisateur)

1. Violet--Ouvrages pour la jeunesse. 2. Couleurs--Ouvrages pour la jeunesse. I. Titre. II. Titre : Purple. Français.

QC495.5.S54514 2014 j535.6 C2014-901769-3
C2014-901770-7

Imprimé à North Mankato, Minnesota, aux États-Unis d'Amérique
1 2 3 4 5 6 7 8 9 0 18 17 16 15 14

052014
WEP010714

Coordonnateur de projet : Jared Siemens
Conceptrice : Mandy Christiansen
Traduction : Translation Cloud LLC

Weigl reconnaît que les images Getty et iStock sont les principales fournisseurs d'images pour ce titre.

Tous les efforts raisonnablement possibles ont été mis en œuvre pour déterminer la propriété du matériel protégé par les droits d'auteur et obtenir l'autorisation de le reproduire. N'hésitez pas à faire part à l'équipe de rédaction de toute erreur ou omission, ce qui permettra de corriger les futures éditions.

Dans notre travail d'édition nous recevons le soutien financier du gouvernement du Canada par l'entremise du Fonds du livre du Canada.

Les enfants et la science

Couleurs

Le violet

CONTENU

Quelle est cette couleur que je vois partout?

Je vois du violet! Où peut-on trouver le violet?

Je vois une couverture violette.

Je vois un oreiller pour ta tête.

Quels autres objets violets peux-tu trouver à côté de ton lit?

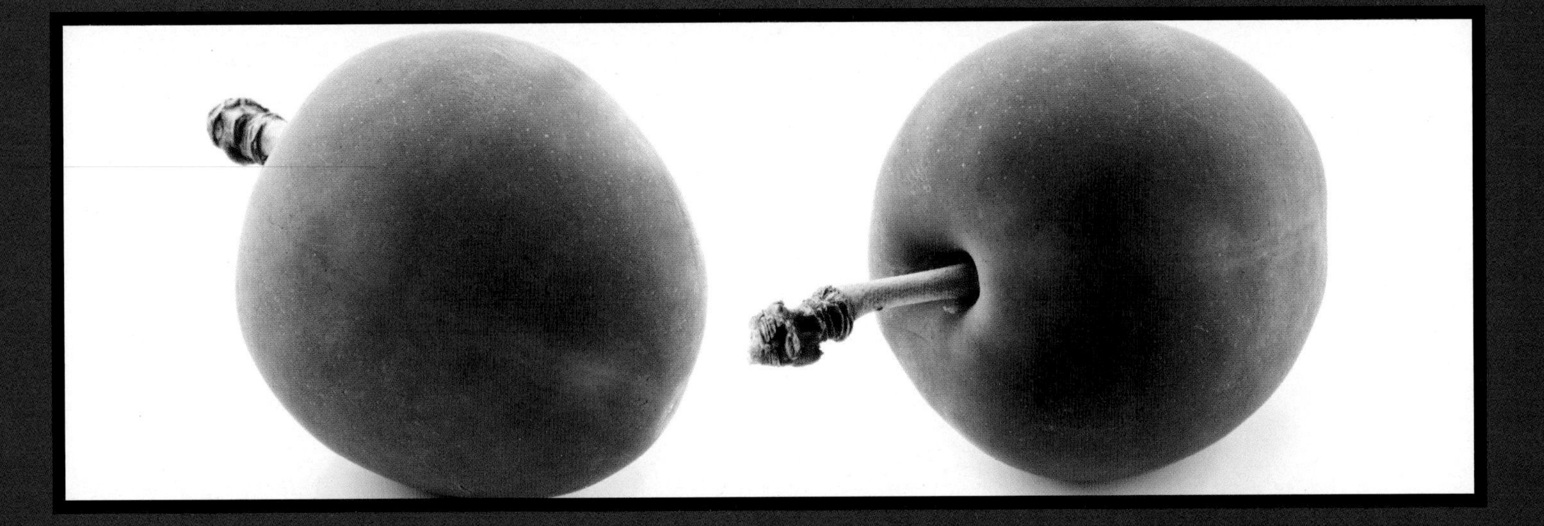

Les prunes violettes et les aubergines sont des aliments sains à manger.

Connais-tu un aliment violet qui est une gâterie délicieuse?

Je vois un puzzle violet.

Je vois un ours en peluche.

Vois-tu d'autres jouets violets?
Peux-tu me dire où?

Y a-t-il des objets violets dehors? Peux-tu les nommer tous?

Je vois des fleurs violettes qui poussent sur un mur.

Je vois une étoile de mer violette.

Je vois un insecte aussi.

Y a-t-il des animaux violets qui vivent proches de chez toi?

Y a-t-il du violet dans l'aire de jeux? Les glissades violettes sont formidables.

Je vois une pelle violette et un sceau sur le sable.

Je vois des ciseaux violets.

Je vois un chiffre trois violet.

Vois-tu du violet à l'école? Où pourrait-on en trouver?

Le violet peut signifier le printemps lorsque les fleurs éclosent et poussent.

J'ai trouvé des œufs violets à Pâques. Peux-tu les mettre en rangée?

Trouve la place de ces objets dans ce livre.

Retourne dans les pages et observe plus attentivement!